MÜNCHEN

Color Collection Städte

COLOR COLLECTION GMBH, D-8036 HERRSCHING/AMMERSEE

Munichen und die Wittelsbacher

Ein herzliches „Vergelt's Gott" mögen Urbayern, Alt-Münchner, Neubürger, „Zuag'roaste" und Touristen dem Welfenherzog Heinrich den Löwen als retrospektives Dankeschön entbieten. War er es doch, Herzog von Bayern und Sachsen, der 1158 die dem damaligen Bischof von Freising gehörende Isar-Brücke bei Föhring zerstören und wenige Kilometer flußaufwärts neu errichten ließ. Diese neue Brücke, über die nun die Salztransporte aus dem Reichenhaller Gebiet geleitet wurden, brachten dem Löwen reiche Beute in Form von Zöllen und Stapelgebühren. Das Dorf „Bei den Mönchen" wurde schnell bekannt, und 1175 bauten die Bürger die erste Stadtmauer, auf daß es ihnen nicht so wie einst den Föhringern ergehen möge.
1180 fiel München an die Wittelsbacher, nachdem der allmächtige Friedrich Barbarossa den Stadtgründer, Heinrich den Löwen, geächtet hatte, als dieser ihm die Heerfolge verweigerte. Otto I., der Stammvater der Wittelsbacher, erhielt die Stadt als Belohnung dafür, daß er die besten Jahre seines Lebens damit zugebracht hatte, sich für Kaiser Barbarossa herumzuschlagen. Österreich, das bis zu diesem Zeitpunkt zu Bayern gehört hatte, wurde abgetrennt und zu einem eigenen Herzogtum erhoben. 1255 wurde München Residenzstadt und Burgsitz Ludwig des Strengen. Seinen Beinamen verdankt der Sproß der Wittelsbacher, die im Umgang mit der Macht nicht immer zimperlich waren, seinem Jähzorn. Als er den Verdacht hegte, seine junge Frau könne ihn betrügen, brachte er sie eigenhändig um. Als sich die Unschuld der so vom Leben zum Tode Beförderten herausstellte, stiftete der Gestrenge reumütig das **Kloster „Fürstenfeld"**. 1294 erhielt München von neuem Stadtrechte und Handelsfreiheiten verliehen. Aber erst Ludwig der Bayer (1294–1397) brachte den großen Aufschwung für München. Er, der Zweitgeborene Ludwig des Strengen, verstand es, durch Geschick und Heirat seinen und seines Landes Besitzstand zu vermehren. Wer erinnert sich heute noch daran, daß Brandenburg, das „Urpreußen", zusammen mit Holland und Tirol Teil des bayerischen Königreiches war?

Titelfoto: Die Mariensäule, die als Andenken für die Rettung der Stadt aus der Not des Dreißigjährigen Krieges von Maximilian I. erbaut wurde, steht im Herzen der Stadt vor dem Neuen Rathaus.
Umseitig (S. 4/5): In sechs Jahren Bauzeit entstand zu den Olympischen Spielen 1972 der Olympia-Park mit seinen Sporthallen, Stadien und dem Olympischen Dorf zu Füßen des Olympia-Turmes.

Ludwig der Bayer

Unter Kaiser Ludwig dem Bayern vergrößerte sich München um das Fünffache seines ursprünglichen Umfangs. Längst war die Stadt über den ersten Befestigungsring hinausgewachsen. 1319 begann Ludwig mit dem Bau der neuen Stadtmauer, mit dem Isar-, Neuhauser-, Sendlinger- und Schwabinger-Tor, die 15 Jahre Bauzeit in Anspruch nahmen und deren Anlagen mit Ausnahme einiger Tore erst um 1800 abgetragen wurden. Das Isartor steht auch heute noch unberührt so, wie es einst die Vorfahren erbaut hatten.
Auch nach dem Tod des Kaisers blieb das Wohl und Wehe der Stadt eng mit der Geschichte der Wittelsbacher verbunden. Mit sechs Söhnen bedachte Ludwig das Volk der Bayern, und keiner dieser sechs Sprößlinge sollte und wollte leer ausgehen. Divide et impera – teile und herrsche – sagten schon die alten Lateiner. Geteilt wurde fleißig, nur zu herrschen gab es bald nicht mehr viel. Drei Wittelsbacher übernahmen Niederbayern-Holland, die anderen drei Söhne regierten Oberbayern, Brandenburg und Tirol.
München degradierte sich zur Teilresidenz und mußte seinen Ruhm mit Landshut und Ingolstadt teilen. Soviele Höfe, Residenzen und Regenten, die das Volk teuer finanzieren mußten, ließen des Vaters Erbe zerbröckeln. Erst ging ein Teil des Tiroler Erbes verloren, dann konvertierten die Preußen aus der Mark Brandenburg von bayerischen Bürgern zu Untertanen des böhmischen Karl IV., als nämlich einer der Erben mit dem bezeichnenden Beinamen „Otto der Faule" die Mark Brandenburg für 200 000 Gulden an seinen böhmischen Schwiegervater, der römisch-deutscher Kaiser war, verschacherte.
Karl IV., dem die Münchner es zu verdanken haben, daß die Preußen aus der Mark Brandenburg nun nicht mehr ihre Landsleute waren, hatte sich 1346 im Einvernehmen mit der Kirche in Rom gegen seinen wittelsbacher Kollegen, Ludwig den Bayern, zum König wählen lassen, nachdem der Bayer beim Papst in Ungnade gefallen war: Ludwig hatte ihn kurzerhand absetzen lassen, worauf der Papst – Wurscht wider Wurscht – Ludwig exkommunizieren ließ.

Rechts: Das Alte Rathaus, 1470 von Halsbach, dem Baumeister der Frauenkirche, erbaut, ist das östliche Tor der Stadt von der Isar zum alten Stadtkern am Marienplatz.
Umseitig (S. 8/9 und 10/11): Den „Nabel Bayerns" nennt man den Marienplatz mit dem 1867 erbauten Neuen Rathaus, von dessem Turm pünklich um 11 Uhr täglich das Glockenspiel erklingt.

Marienplatz
S
U

Pschorr
Donisl

Oben: Die neugotische Fassade des Neuen Rathauses am Marienplatz.
Links: Der Glockenturm mit Glockenspiel und Scheffler-Tanz.
Unten: Das Eingangsportal zum Neuen Rathaus.
Rechts: Der spätgotische Backsteinbau der Frauenkirche, dem Wahrzeichen Münchens, mit seinen beiden 99 und 100 m hohen Türmen, gekrönt von den „welschen Hauben".

Zeit der Gotik und Renaissance

Als Wilhelm III. 1397 die Regierung übernahm, teilte er die Macht mit seinem Bruder Ernst rund 40 Jahre, da er selbst keine leiblichen Erben hatte. Fast wären die Münchner Bürger danach von einem Ingolstädter oder Landshuter Herrn übernommen worden, denn Bruder Ernst hatte nur einen Sohn. Und dieser mißratene Filius machte sich an die Tochter eines Augsburger Baders heran, der die Münchner Stadtväter eine eigene Straße widmeten: Agnes Bernauer. Das Problem der heimlichen Hochzeit seines Sohnes mit der unstandesgemäßen Agnes löste der besorgte Vater auf seine Art: Er ließ die Bernauerin 1435 kurzerhand ertränken! Um die Zeit, als Kolumbus Amerika entdeckte, begann die Blütezeit des Bürgertums. Das gotische München erhielt sein Gesicht durch die **Frauenkirche,** die 1468–1488 nach Plänen des Baumeisters Jörg Ganghofer erbaut wurde. Das **Alte Rathaus** (1470) und die **Kreuzkirche** (1484) sind weitere Bauwerke dieses Künstlers. Im 16. Jahrhundert begann der Aufstieg Münchens zur Kunststadt, stark geprägt von den prachtvollen Fürstenbauten im Renaissance-Stil, der dann durch Barock und Rokoko abgelöst wurde.
München mauserte sich zu einer der bedeutendsten Museumsstädte Europas. Das **Münzkabinett,** die Kunstkammer und die Staatsbibliothek waren Werke, die Herzog Albrecht V. errichten ließ. Für seine vielen Sammlungen ließ er das **Antiquarium** der Residenz erbauen, seinerzeit der größte Renaissanceraum nördlich der Alpen. 1556 kam der Künstler Orlando di Lasso nach München, wo er ab 1560 die Hofkapelle leitete. Orlando di Lasso, neben Palestrina der begnadetste Komponist seiner Zeit, schuf über 1000 Motetten, Lieder und Chansons, Messen und Magnificats-Kompositionen.
Die gewichtigsten Renaissance-Bauten, die **Michaeliskirche** samt Jesuiten-Kolleg wie auch die frühen Bauten der Residenz, fügten sich in die gotische Stadt München ein und sorgten damals schon für eine wimmelnde Baustelle mit Ochsenkarren, Pferdefuhrwerken, Handwerkern, Ziegelträgern und Marketenderinnen, die dem modernen Chaos beim Bau der Müncher U-Bahn in heutigen Tagen in nichts nachgestanden haben mag.

Umseitig (S. 16): Am südlichen Ende der Ludwigstraße, am Odeonsplatz, liegt auf der Rückseite des Preysing-Palais die zu Ehren der bayerischen Feldherren Tilly und Wrede und zum Ruhme des bayerischen Heeres erbaute Feldherrnhalle, die durch den Marsch der braunen Brigaden im November 1923 traurige Berühmtheit erlangte. Das Denkmal an der Rückwand erinnert an den Krieg 1870/71.

Die Zeit des Rokoko

Das Elend und die Massaker der spanischer Erbfolgekriege hatte der im Exil sein gewohntes Lotterleben führende Max Emanuel nicht miterleben müssen. Als er 1715 nach München zurückkehrte, brachte er dennoch etwas mit, was die Münchner heute noch erfreut: den Baumeister und Stukkator François Cuvilliès, dem Erzzauberer des Rokoko, dessen Ruhm sich auf die Kombination französischer Elegance mit dem Glanz deutschen Barocks gründete. Cuvilliès, der – 11-jährig – als Hofzwerg engagiert worden war, erhielt ob seiner großen Begabung kurfürstliches Wohlwollen und eine gründliche Ausbildung in München und Paris. Ihm verdanken die Münchner das Rokokojuwel „Neue Opera Haus“ – das heutige Cuvilliès-Theater im Herzen der Residenz.
Während mit Kurfürst Karl Albrecht, Sohn des Max Emanuel aus zweiter Ehe mit Therese Kunigunde von Polen, wieder ein Bayer zum deutschen Kaiser gekrönt wurde – er erhielt 1742 als Kaiser Karl IV. in Frankfurt die Kaiserkrone – marschierten in München zur gleichen Zeit die Panduren ein, und wieder einmal wurde das München der Wittelsbacher – wie bei seinem Vater – von Österreichern regiert. Außer der Ehre, deutscher Kaiser gewesen zu sein, hinterließ Karl Albrecht nach seinem Tod den Untertanen nicht nur einen neuen Krieg, sondern auch 40 Millionen Gulden Schulden und rund drei Dutzend uneheliche Kinder. Aber auch die Amalienburg, der berühmteste der Nymphenburger Schloßbauten, verdanken die Münchner ihrem deutschen Kaiser. Erzherzogin Maria Amalie, seine habsburgische Frau, war der äußerliche, erfreuliche Anlaß zu diesem eindrucksvollen Kleinod höchster Rokokogestaltung, das Cuvilliès 1738 vollendete. Am 14. 4. 1768 starb Cuvilliès im Alter von 72 Jahren. Mit ihm ging den Münchnern ein weiterer genialer Baumeister verloren, nachdem zwei Jahre vorher – 1766 – der Baumeister Johann Michael Fischer bereits gestorben war. Fischer, dessen Werke den barocken Kirchenbau geprägt haben, schuf neben Langhauskirchen auch Gotteshäuser mit ovalem Innenraum wie z. B. **die Klosterkirche St. Anna am Lehel** in München.

Rechts und umseitig (S. 17): Zwischen Rathaus und Feldherrnhalle liegt das exklusive Einkaufsparadies der Münchner, der elegante Theatiner-Boulevard. Nicht alle Besucher kommen wegen Kunst, Theater und Gemütlichkeit nach München. Als vielseitige Einkaufsstadt mit ihrem Weltstadtangebot konkurriert „Deutschlands heimliche Hauptstadt“ mit den Metropolen aller Kontinente.

DER
TREFFPUNKT
FÜR FREIZEIT
UND SPORT
MÜNZINGER
MÜNZINGER

19
K
Pasing Marienplatz
Perusastr.
2485

Pschorr
Pschorr Donisl
ZUR ALTEN HAUPTWACHE
Weinstraße
Berühmtes Altmünchner Gasthaus
seit 1715

STOFFE

Königreich Bayern

Als die pfälzische Linie der Wittelsbacher, die nach vier Jahrhunderten Regentschaft der Ludowitzischen Linie nach München gekommen war, mangels leiblicher Erben verwaiste, sprang in höchster Not eine zweite pfälzische Seitenlinie der Wittelsbacher in Gestalt des Maximilian Josef in die entstandene Bresche. Er übernahm den Fürstenthron als Maximilian IV. Josef. Zwar hatten die Münchner nun wieder einen Kurfürsten, aber – bedingt durch die Kriege und die damit verbundenen Kosten und Abgaben – nichts zu Essen. Doch außer Hunger hatten die Bürger noch einen Grafen Rumford, dem Erfinder der Erbsensuppe. Rumford, der eigentlich Benjamin Thompson hieß und wegen der Unabhängigkeitskriege aus Amerika geflüchtet war, wurde in München zum Grafen Rumford geadelt. Er war 1784 in bayerische Dienste getreten, hatte das bayerische Heer reorganisiert und Arbeitshäuser gegründet.

Die Rumford-Suppe, die aus getrockneten Erbsen, Speck und Gewürzen bestand, diente in München der Massenspeisung. Täglich erhielten mehr als 1000 bedürftige Münchner ihre Rumford-Suppe, nachdem sie vorher die von Rumford ebenfalls als Massen-Nahrungsmittel angebotenen Kartoffeln abgelehnt hatten, eine Abneigung, die sich bis auf den heutigen Tag erhalten hat.

Dann endlich wurde München Residenz eines bayerischen Königreiches, als Maximilian IV. Josef unter dem Namen Max I. Josef 1806 die Königs-Krone annahm. „Maxl" hatte mit seinen bayerischen Truppen auf französischer Seite gekämpft und von Napoleon im Frieden von Preßburg 1805 die Königswürde angeboten bekommen. 13 Jahre später – 1818 – erließ der König die Bayerische Verfassung, eine konstitutionelle Verfassung mit zwei Kammern. Heinrich Heine, in München Redakteur der „Annalen", schrieb zu dieser Zeit: „Ich lebe als Grandseigneur, und die 5 1/2 Menschen hier, die lesen können, lassen mich auch merken, daß sie mich hochschätzen. Wunderschöne Weiberverhältnisse – indessen diese befördern weder meine Gesundheit noch meine Arbeitslust."

Umseitig (S. 18): Der Fußgängerbereich vom Marienplatz bis zum „Stachus", dem Karlsplatz, wird durch grüne Inseln, Gartencafés und die großen Warenhäuser geprägt.
Umseitig (S. 19): Die Michaeliskirche, 1583 von Herzog Rudolf errichtet, liegt im Fußgängerbereich der Neuhauser Straße und gilt als größte Kirche der Renaissancezeit nördlich der Alpen.
Umseitig (S. 22): Das Isartor war Teil der unter Kaiser Ludwig dem Bayern erbauten Stadtbefestigung. Es beherbergt das Kuriositäten-Musäum des Karl Valentin.

König Ludwig I.

1825, im gleichen Jahr, in dem König Max I. Josef starb, wurde in München der Kunstverein gegründet. Kronprinz Ludwig, als Ludwig I. Nachfolger auf dem Königsthron, machte München zur glanzvollen Kunststadt. **Pinakothek, Glyptothek** und **Feldherrnhalle** waren nur einige der prachtvollen Bauten, die der König zum Teil aus seiner Privatschatulle finanzierte und ihn zum Schöpfer des klassizistisch-romantischen München machte.

„Lolita", wie der König zärtlich seine Geliebte, die Tänzern Maria de los Dolores Porris y Montez, nannte, setzte einen Schlußpunkt unter den Schaffensdrang eines Königs, dessen vielzitiertes Wort Wahrheit wurde, er wolle „aus München eine Stadt machen, die Teutschland so zu Ehre gereichen soll, daß keiner Teutschland kennt, wenn er nicht München gesehen hat". Am 19. 3. 1848 dankte Ludwig I. zu Gunsten seines Sohnes, Max II. Josef, ab. Vorausgegangen waren revolutionäre Unruhen in der Hauptstadt mit den „März-Forderungen" nach demokratischen Wahlen zur zweiten Kammer und Pressefreiheit wie auch die allgemeine Empörung der Bevölkerung wegen seiner Liaison mit der schönen Lola Montez, die er zur Gräfin Landsfeld erhoben hatte.

Gottfried Keller, der 1840–1842 in München weilte und in der Neuhauserstraße 22 wohnte, schrieb begeistert über München: „Da glühten im letzten Abendscheine griechische Giebelfenster und gotische Türme; Säulen der verschiedensten Art tauchten ihre geschmückten Häupter noch in den Rosenglanz; helle gegossene Bilder, funkelneu, schimmerten aus dem Helldunkel der Dämmerung, indessen buntbemalte offene Hallen schon beleuchtet waren und von geschmückten Frauen durchschritten wurden."

Der neue Herrscher förderte die Wissenschaft, gründete die historische Kommission der Akademie und baute das **Maximilianeum,** das heute Sitz des Bayerischen Landtages und des Senats ist, obwohl es ursprünglich als Gemäldegalerie und Unterkunft für „begabte Jünglinge", die später in den Staatsdienst treten sollten, konzipiert worden war. 1848, mit seinem Amtsantritt, gab es noch eine Revolution besonderer Art in München: Vor dem Pschorr-Bräu randalierten durstige Münchner Kehlen am 11. Oktober, weil der Bierpreis von vier auf fünf Kreutzer erhöht werden sollte, ein Streit, der sich Jahr für Jahr auf der „Wies'n" wiederholt.

Rechts: Der Alte Hof, die „Ludwigsburg" wie er früher genannt wurde, war die erste Residenz der Wittelsbacher, die heute – sehr profan – ein Finanzamt beherbergt.

28

U

Vom Königreich zur Republik

Ludwig II., der Märchenkönig, wie ihn das Volk nannte, holte den stark verschuldeten Richard Wagner, dessen Oper „Tristan und Isolde" als unaufführbar galt, von Stuttgart nach München. Er ließ Wissenschaft und Dichtkunst erblühen. Es entstanden die Akademie der bildenden Künste und das neugotische Neue Rathaus. Nach dem mysteriösen und von vielen Gerüchten umgebenen Tod des unglücklichen Märchenkönigs, der sich in angeblich geistiger Umnachtung auf seine Schlösser von **Neuschwanstein, Linderhof** und **Herrenchiemsee** zurückgezogen hatte und im Starnberger See ein unrühmliches Ende fand, übernahm als vorletzter Wittelsbacher dieser Dynastie Prinz Luitpold 1886 als Prinzregent die Geschicke des Landes. Der eigentliche Thronfolger, der Bruder Ludwigs II., Otto, galt ebenfalls als gemütskrank und fristete in geistiger Umnachtung sein Leben in einem kleinen Schloß.

Mit Prinz Luitpold und seiner 25-jährigen Regentschaft zog ein goldenes Zeitalter in München ein. Es war eine fruchtbare Zeit für Maler, sowohl für Meister der alten Schule als auch für moderne Künstler.

Die Nachfolge Luitpolds durch seinen Sohn, Ludwig III., war durch die Ereignisse des I. Weltkrieges gekennzeichnet. Als Ludwig III. die Macht im Staate übernahm, hatte er nur noch zwei Jahre Zeit, sich zu bewähren, bevor der I. Weltkrieg ausbrach. Das Ende des Krieges bedeutete gleichzeitig das Ende der Wittelsbacher Dynastie. In Deutschland wurde die Republik ausgerufen. „Volksbeauftragte" regierten das Land. In allen Städten bildeten sich Arbeiter- und Soldatenräte. Den Berliner Revoluzzer, Kurt Eisner, zog es nach München, wo er am 7. 4. 1918 einen Aufstand entfesselte und als Ministerpräsident einer Regierung der Mehrheitssozialisten und Unabhängigen zwei Monate residierte. Er vertrieb den letzten Wittelsbacher, Ludwig III., der 1921 im ungarischen Exil starb. Eisner wurde im Januar 1919 durch Anton Graf Arco von Valley auf dem Weg ins Parlament erschossen. Diese Tat gab das Signal zur Ausrufung der Räterepublik am 7. 4. 1919 in München. Truppen der Reichsregierung und die Freicorps, die nach München geeilt waren, schlugen die Räterepublik nieder.

Umseitig (S. 23): Im Staatstheater am Gärtnerplatz, 1865 als Bühne für Lustspiele und musikalische Possen eröffnet, stehen Opern, Musicals und klassische Operetten auf dem Spielplan.
Umseitig (S. 24/25): Das Sendlinger Tor, Teil der alten Stadtbefestigung, war Schauplatz der „Sendlinger Mordweihnacht" am 25.12.1705, in der der „Schmied von Kochel" und seine Anhänger starben.

Weltstadt mit Herz

Weder die Revolution nach dem I. Weltkrieg, das Ende der Monarchie, der Bombenhagel im II. Weltkrieg auf die „Hauptstadt der Bewegung" noch die Wirren der Nachkriegszeit haben Spuren hinterlassen, die die weißblaue Metropole etwa weniger liebenswert erscheinen ließe. Die Stadt der Lebensfreude, Deutschlands heimliche Hauptstadt, ist zur begehrtesten Wohnstadt unseres Landes geworden, auch wenn Gottfried Keller, der schweizer Dichter, einmal von München sagte:

„Ein liederliches, sittenloses Nest
Voll Fanatismus, Grobheit, Kälbertreiber,
Voll Heil'genbilder, Knödel, Radiweiber..."

Aber das ist schon fast 150 Jahre her. Heute ist München nach Berlin und Hamburg die drittgrößte deutsche Stadt, seit 1957 Millionendorf und mit rund 1,3 Millionen Einwohnern gar nicht mehr „urbayerisch". Nur wenig über 30% seiner Bewohner sind gebürtige Münchner. 200 000 Ausländer – das sind rund 16% der Gesamtbevölkerung, eine große Stadt für sich – fühlen sich an der Isar zu Hause. Der Rest setzt sich aus „Zuagr'oasten", Kaufleuten, Studenten (über 50 000 Menschen studieren in München) und „Preußen" zusammen, die der Meinung sind, daß die Weltstadt mit Herz mehr Lebensqualität in ihren Mauern birgt als jede andere deutsche Metropole.

Weiß Ferdl, der berühmte Volksschauspieler, am 28. Juni 1883 in Altötting geboren, mag zwar ein wenig lokalpatriotisch seine Meinung über München zusammengefaßt, aber sicher den Liebhabern von Isar-Athen aus dem Herzen gesprochen haben, als er sagte: „Gibt es denn auf der Welt eine Stadt, die alles, alles, was das Leben schön und angenehm macht, so in sich vereint wie München? Wir haben alles: schöne Umgebung, idyllische Plätze und Winkerln, großzügige Künstlerfeste, kleinstädtische Vereinsmeierei, moderne Laster, viele Klöster, Kongresse, Ausstellungen, Oktoberfest, fortschrittliche Geister und Gemütlichkeit. Uns fehlt gar nichts. Mir tun nur die Leute leid, die woanders wohnen müssen".

Rechts: Der vergoldete Friedensengel am Ende der Prinzregentenstraße thront weithin sichtbar über der Isar, 1895 als Dankeszeichen der Stadt München der Bayerischen Armee gewidmet.
Umseitig (S. 28 und 29): Das Deutsche Museum an den Ufern der Isar ist das wohl berühmteste Museum Deutschlands. Das rechte Bild zeigt das weitläufige Gebäude des Bayerischen Nationalmuseums.

RECHTSSCHUTZ
UNION
P

MATHÄSER
AEG
FUJI FILM
YASHICA
FIAT
4711
ECHT KÖLNISCH WASSER
Im Asbach
Karlsplatz
Altstadtring
P
EINFAHRT
KÖNIGSHOF

MERCEDES-BENZ
ZEISS
ZEISS
OSRAM
Gloria-Palast
SPIEL MIR DAS LIED VOM TOD
WAFFEN-BAVARIA
LEDERWAREN
KOFFER

Oben: Das Nationaltheater am Max-Joseph-Platz, die Bayerische Staatsoper, ist glanzvoller Mittelpunkt europäischer Musikkultur. Im Laufe ihrer über 170-jährigen Geschichte haben sich drei tragende Säulen des Repertoirs herausgeschält: Die Musik von Richard Strauss, Mozart und Wagner, der hier „Tristan und Isolde", „Meistersinger", „Rheingold" und die „Walküre" uraufgeführt hat.
Umseitig (S. 30 und 31): Der Stachus ist der innerstädtische Verkehrsknotenpunkt Münchens. Hier kreuzt die U-Bahn mit der S-Bahn und dem Netz der Straßenbahnen im Verkehrsverbund der Stadt, der ein Gesamtnetz von rund 1500 km ausweist. Das entspricht etwa der Entfernung Oslo–München oder München–Sizilien. Im Untergeschoß des Platzes liegt die Stachus-Ladenstraße mit den Zugängen zur S- und U-Bahn.

Rechts oben: Als krönender Abschluß der vornehmen Maximilianstraße liegt auf dem östlichen Ufer der Isar auf einer kleinen Anhöhe das Maximilianeum, heute Sitz des Bayerischen Landtages und Senats. Der von einem Engelsgenius überragte Prachtbau Maximilians II. war ursprünglich als Gemäldegalerie und Internat für künftige Staatsbedienstete konzipiert.
Rechts unten: Das Münchner Stadtmuseum am St. Jakobsplatz (U-Bahn/S-Bahn Marienplatz) teilt sich in mehrere Gebäude und enthält als Mittelpunkt die stadtgeschichtliche graphische Sammlung mit über 200 000 Blättern sowie komplett eingerichtete Bürgerzimmer aus den verschiedenen Stilepochen, nicht zu vergessen die berühmten Morisken-Tänzer von Erasmus Grasser.

MÜNCHNER
STADTMUSEUM

Oben: Fronleichnamsprozession vor der Theatinerkirche am Odeonsplatz.
Links: Die Feldherrnhalle, deren Vorbild die Loggia de Lanzi war.
Unten: Das König-Ludwig-Denkmal beim Odeonsplatz.
Rechts oben: Die große Monumental-Straße des 19. Jahrhunderts – die Ludwigstraße.
Rechts unten: Das Siegestor. Hier beginnt „Wahnmoching", wie Schwabing einmal genannt wurde.
Umseitig (S. 34/35): Hofgarten mit Springbrunnen und Theatinerkirche.

DEM BAYERISCHEN HEERE

Landeshauptstadt München

Das Stadtgebiet mit rund 210 km² deckt eine fast quadratische Fläche ab, die in der Länge 26 km und in der Breite 21 km mißt. Allein der **Englische Garten,** die größte zusammenhängende städtische Gartenanlage Deutschlands, durchzieht die Stadt entlang den Iserauen mit einem Grüngürtel, der rund fünf km lang, bis zu zwei km breit und dreimal so groß wie das Fürstentum Monaco ist. Über 100 städtische Grünanlagen, 600 km baumumsäumte Alleen, insgesamt 3 800 Hektar staatliche und städtische Grünflächen bilden die grüne Lunge der Stadt, das sind rund 38 qkm, für jeden Bürger der Stadt 30 qm.
Die heutige Pracht verdankt München nicht nur den Baumeistern und Herrschern vergangener Jahrhunderte, sondern auch dem zähen Aufbauwillen seiner Bevölkerung, als die Stadt 1945 in Schutt und Asche lag. „Rama dama" – oder, übersetzt für „Preußen": „aufräumen tun wir" – war das Schlachtwort für den Neubeginn einer Stadt, auf die 3 1/2 Millionen kg Bomben gefallen waren. Fast 10 Millionen Kubikmeter Schutt hieß es wegzuräumen, so viel wie vier Cheops-Pyramiden. Es entstand der „Monte Scherbelino" auf dem Oberwiesenfeld, dem heutigen Olympia-Park, und die Ablagerungen im Luitpoldpark, in Sendling und in der Plinganser Straße.
München ist nicht nur die drittgrößte deutsche Stadt, sondern auch die Metropole mit dem zweitgrößten Industriepotential und der größten Universität. Keine andere Stadt Deutschlands hat mehr Theater, Museen und Stätten der Kultur als die Hauptstadt Bayerns. Administrativ unterteilt die Stadt sich in 41 Verwaltungsbezirke. Das Stadtoberhaupt, der Oberbügermeister, wird direkt gewählt. Er wird assistiert von zwei aus dem Stadtrat gewählten Bürgermeistern, 12 hauptamtlichen Referenten und 80 ehrenamtlichen Stadträten. Natürlich ist die Landeshauptstadt auch Sitz der bayerischen Staatsregierung sowie des Regierungsbezirks Oberbayern, des Landkreises München und des Erzbischofs von München-Freising. In München sind nicht nur Industriegiganten wie Siemens oder BMW zu Hause, hier befindet sich auch das Elektronikzentrum der Nation: das deutsche Silicon Valley in Eching, kurz vor den Toren der Stadt. Bei dieser Konzentration von Industrieansiedlungen nimmt es nicht Wunder, daß München, diese Mischung aus Metropole und Idylle, aus Lebenslust und weltoffener Weite, zu den führenden internationalen Kongreß- und Messestädten zählt.

Umseitig (S. 42, 43 und 44/45): Unübertroffen ist München als Stadt der Museen und Galerien. Die Alte Pinakothek (U-Bahn) ist eine der bedeutendsten Gemäldegalerien der Welt (S. 42 oben). Der Schwerpunkt der Sammlung der Neuen Pinakothek liegt in der europäischen Malerei. In der Städtischen Galerie im Lenbachhaus (Luisenstr.) finden sich bedeutende Gemälde vom Mittelalter bis zur Gegenwart.

Kulturstadt München

München ist die Stadt der Kunst und Musik, der Theater, Museen und Galerien. Zu den sechs bedeutendsten Galerien der Welt gehört die **Alte Pinakothek,** deren Grundstock durch Wilhelm IV. von Bayern mit dem Zyklus von Historienbildern über die Heldentaten berühmter Persönlichkeiten gelegt wurde. Die **Neue Pinakothek** hat ihren Ursprung in der Sammlerleidenschaft König Ludwig I. und gehört heute zu den meistbesuchten Kunstmuseen Deutschlands.
Im **Haus der Kunst**, das 1933–37 von Paul Ludwig Troost als Repräsentationsbau des Nationalsozialismus erbaut wurde, veranstalten Münchner Künstler jährlich im Herbst wiederkehrende Verkaufsausstellungen. Im Westflügel hat die **Staatsgalerie** moderner Kunst mit über 400 Gemälden und Skulpturen des 20. Jahrhunderts ihr Zuhause. Das als „Museum vaterländischer Altertümer" – das von König Maximilian II. gegründete heutige **Bayerische Nationalmuseum** – besitzt knapp 20 000 Ausstellungsstücke, von den Wittelsbachern „dem Volk zur Ehr' und Vorbild" gereicht. „Der Stadt zur Ehr" gereicht auch die städtische Galerie im **Lenbachhaus,** dem Atelier des Künstlerfürsten Franz von Lenbach, der am 6. 5. 1904 in München starb. Insgesamt 31 Museen und Galerien warten in München auf den Besucher und Kunstliebhaber, der Monate benötigte, alles Sehens- und Erlebenswerte zu erfassen. Allein im **Deutschen Museum** müßte man 20 km gehen, wollte man alle Gänge ablaufen.
Neben Berlin ist München die theaterreichste Stadt im deutschsprachigen Raum. Rund 40 Musentempel vermitteln dem Theaterfreund Kunstgenuß, sechs mundartliche Bühnen wie z. B. die Münchner Volkssängerbühne in Schwabing oder das „Platzl" gegenüber dem Hofbräuhaus bieten bayerische Gaudi. Zwei fremdsprachige Theater – das Teatro Stabile Italiano und das Amerika-Haus – unterstreichen das internationale Flair der Musenstadt, von dem rund ein Dutzend Kleinkunstbühnen und literarisch-politischen Kabaretts wie der Münchner Lach- und Schießgesellschaft einmal abgesehen.

Umseitig (S. 38/39) und rechts: Die Residenz am Max-Joseph-Platz (U-Bahn Odeonsplatz) wurde nach der Vertreibung des letzten Wittelsbacher, König Ludwig III., am Ende des I. Weltkrieges der Öffentlichkeit zugänglich gemacht und dient heute im wesentlichen als Museum. Sehenswert die Sammlungen von Porzellan aller wichtigen Manufakturen, die Ahnengalerie der Wittelsbacher und die Kronen.

Oben und unten: Die Alte Pinakothek (Barerstraße).
Links: Mehr als 600 Gemälde und Plastiken sind in der Neuen Pinakothek zu besichtigen.
Rechts oben: Das Haus der Kunst mit der Staatsgalerie und internationalen Ausstellungen.
Rechts unten: Die Lenbachvilla (U-Bahn Königsplatz) mit der Städtischen Galerie.
Umseitig (S. 44/45): Die dem griechischen Vorbild auf der Akropolis nachempfundenen Propyläen auf dem Königsplatz.

Touristenstadt

München hat zwar „nur" 1,3 Millionen Einwohner, doch diese teilen sich die Stadt der Lebensfreude mit einem Mehrfachen an Besuchern, Touristen oder Durchreisenden, die nur für ein paar Tage oder auch Wochen an die Isar-Metropole kommen. Kaufleute, Aussteller und Kongress-Teilnehmer runden die Palette der München-Fans ab, die Jahr für Jahr die sieben Jahreszeiten der Bayern-Hauptstadt erleben, denn ausser Frühling, Sommer, Herbst und Winter haben die Isarianer noch den Fasching, das Starkbier-Festival und die Wies'n zur Freude aller Besucher in ihren Kalender aufgenommen. Aber außer Faschingsgaudi, Nockherberg-Seeligkeit und Wies'n-Romantik gibt es vielerlei zu besichtigen, zu erleben, zu genießen. All die Sehenswürdigkeiten, die sich nicht nur in Kunst und Monumenten erschöpfen, aufzählen zu wollen, hieße Eulen nach Athen tragen. Wollte man sie alle nennen, müßte man ein neues Buch schreiben. München zu sehen, zu erleben, bedeutet aber auch, die liebenswürdige Grantigkeit seiner Bewohner, die Liebe der „Zamperl"-Besitzer zu ihren Urviechern, den Hunderln, die Schlagfertigkeit der Marktweiberl auf dem Viktualienmarkt oder die abgeklärte Beschaulichkeit eines Rentners im Englischen Garten in sich aufzunehmen.

München ist die Stadt der Sehenswürdigkeiten. Die alles überragende **Frauenkirche** mit ihren charakteristischen Kupfertürmen, den „Welschen-Hauben", beherrscht das Zentrum der Stadt. Zur Einweihung des „Doms zu unserer lieben Frau", 1494, kamen bereits 123 700 Pilger aus aller Welt nach München, ein sehr exakt gezählter Besucherrekord: Jeder Fremde, der die Stadttore durchschritt, mußte eine Erbse in einen Beutel werfen. Anhand der nachgezählten Erbsen konnte man die Zahl der Besucher ziemlich genau ermitteln. Hier, am Frauenplatz, oder – genauer gesagt – am Nordturm der Frauenkirche, befindet sich auch der bayerische Nabel der Welt: das offizielle und amtliche Zentrum der Stadt München – nicht, wie viele meinen, an der Mariensäule vor dem Neuen Rathaus, dessen touristische Hauptakttration das Glockenspiel mit dem Scheffler-Tanz ist, der an die Pestjahre von 1517 und 1519 erinnert und Besucher aus aller Welt in ihren Bann zieht.

Gleich „um d'Eck'n", ebenfalls am Marienplatz, steht ein weiteres „Muß-besucht-werden-Haus", nicht ganz so alt wie viele Prachtbauten aus Gotik, Renaissance und Rokoko, aber nicht minder beliebt bei Einheimischen und Besuchern: Die „Reale Bierwirtschaft zur Alten Hauptwache", die seit 1760 ihre Gäste mit Weißwurst, Bier und Leberkäs erfreut und unter dem Namen **„Donisl"** nicht nur bei Maßkrug-Athleten bekannt und beliebt geworden ist. Da die Münchner Weißwurst bekanntlich das 12 Uhr-Läuten nicht mehr hören darf, hat man in weiser Voraussicht den **„Alten Peter"** als Frischewächter schon im 11. Jahrhundert dorthin gebaut, wo München einmal anfing: am Petersbergl. Die Pfarrkirche St. Peter, wie sie offiziell heißt, wurde in der jetzigen Form 1607 vollendet, nachdem sie nach dem verheerenden Stadtbrand von 1327 neu aufgebaut und anschließend mehrfach umgebaut worden war. Vorher standen hier, an der Ost-Westachse, hinter den drei Toren der Stadt, die Vorgänger des Gotteshauses. Von diesen drei Toren, die auf dem Weg von der Isarbrücke zum Marktplatz zu passieren waren, steht heute nur noch das Isartor. Verschwunden ist das Talbrucktor am Kaltenbach, mitten im Tal. Das Talburgtor gleich neben dem Alten Rathaus wurde im II. Weltkrieg zerstört.

Im Isartor hat das **Kuriositäten-Kabinett** des Karl Valentin als „Musäum" seine Heimat gefunden. Hier, zwischen „Eingang, Rundgang, Durchgang, Stuhlgang und Ausgang", steckt als valentinsches Kuriosum der Nagel in der Wand, an den er 1902 seinen Beruf hängte, um Volkssänger und -schauspieler zu werden.

Hauptattraktion aller München-Besucher ist aber der Turm des neugotischen **Neuen Rathauses** am Marienplatz. Pünktlich um 11 Uhr vormittags drehen sich die Scheffler in ihren roten Röcken zum Zunfttanz, der an die Pestjahre 1517 und 1519 erinnert. Mit ihren Tänzen wollten die **Scheffler** den durch die Seuche geplagten Bürgern neuen Lebensmut einflößen. Auf dem oberen Kranz des Erkers fechten zum Klang der 43 Glocken zwei Ritter im Turnier zur Erinnerung an die Vermählung des Herzogs Wilhelm V. im Jahre 1568 mit Renata von Lothringen. Abends kommen aus den Erkern des 7. Stockwerkes ein hornblasender Nachtwächter und ein Friedensengel, der das „Münchner Kindl" segnet, hervor.

Umseitig (S. 46): Der Englische Garten, die größte zusammenhängende städtische Gartenanlage Deutschlands, ist das Freizeitparadies der Münchner. Der Chinesische Turm zwischen Monopterus und Rumford-Haus ist ein beliebtes Ausflugsziel mit Platz für 6000 durstige Kehlen im größten Biergarten Münchens. Vom Monopterus genießt man einen schönen Blick über die im Südwesten liegende Altstadt.

Rechts oben: Ob nackt, „oben ohne", oder angezogen: Freizeitvergnügen für Münchner, Touristen, Sonnenanbeter und Gammler im Englischen Garten ohne Zwangsjacke.

Rechts unten: Grünwald im Süden von München, von der Innenstadt mit der Straßenbahn zu erreichen, ist Badestrand und Ausgangsort für Wanderungen durch das reizvolle Isartal.

München ist die Stadt der Gastlichkeit, der Straßencafés und Flanierboulevards. Der Münchner liebstes Café, das Hofgarten-Café Annast am Odeonsplatz, die Schwabinger Neugastronomie „Zur Brez'n" in der Leopoldstraße oder die Studenten-Pinten und Prominenten-Treffs sind Teil des Weltstadt-Flairs dieser Stadt, von der Eugen Roth sagte: „Vom Ernst des Lebens halb verschont, ist der schon, der in München wohnt".

BRÄUHAUS zur Brez'n
HACKERBRÄU
14 17
MÜNCHEN
ACKERBRÄU
Bayerische Küche
täglich bis 3Uhr früh geöffnet · durchgehend warme Küche
durchgehend warme Küche
Bräuhaus zur Brez'n
HEUTE
WARME KÜCHE
72
Warme Küche
v.11-2 Uhr früh
Schweinshax'n
Schweinsbraten
Sauerkraut-
teller
Spare-Ribs

Der Löwenbräu
Das Spitzenpils
Extrablatt
Café

Wir bauen um für Sie.
Bitte benützen Sie in dieser Zeit
unseren Eingang Theatinerstr. 15

LINDBERG
HYPOBAN
C&A
WOOLWORTH
WORMLAND
WEMPE
Piano
Lang
BÜCHER
Marke

Sehenswürdigkeiten

Der **Alte Hof** (Hofgraben) ist eine besonders sehenswerte ehemalige Festungsanlage im Herzen der Altstadt, die früher als Residenz der Wittelsbacher diente. Eine Attraktion für sich ist der **Viktualienmarkt** im Schatten des „Alten Peters", der tägliche Lebensmittelmarkt der Münchner, dessen Stände von Generation zu Generation weitervererbt werden. Hier haben die bekannten Münchner Originale und Volkssänger ihre Denkmäler erhalten: die Brunnenfiguren von Karl Valentin, Weiß Ferdl, dem Roider Jackel, von Liesl Karlstadt und Elise Aulinger. Höhepunkt des bunten Markttreibens ist jedes Jahr der Faschingsdienstag, wenn die Marktfrauen einmal nicht ihre Ware anbieten, sondern ausgelassen zu zünftiger Blasmusik das Tanzbein schwingen.
Wandern, bummeln, einkaufen: wo bringt es mehr Spaß als in **Münchens Fußgängerzone**? Von der vornehmen Theatinerstraße, dem neuen Einkaufsboulevard mit Snob-Appeal, bis hin zur Kaufinger- und Neuhauser Straße, die am Karlstor, dem **„Stachus"**, endet. Alle großen Warenhauskonzerne befinden sich mit ihrem Weltstadtangebot in dieser Einkaufsmeile, und auch in den kleinen und großen Nebenstraßen des Shopping-Schlaraffenlandes führen Modehäuser, Pelzgeschäfte und Boutiken den Käufer in Versuchung. Denn München ist auch eine Stadt der Mode, in der neben den Kreationen der großen italienischen und französischen Modeschöpfer auch der Heimat-Look mit Trachten, Dirndln und Loden im Vordergrund steht.
Vor 400 Jahren als Zentrum der katholischen Gegenreformation in Bayern von Herzog Wilhelm dem Frommen erbaut, steht die größte Renaissance-Kirche nördlich der Alpen, die **Michaelis-Kirche,** in der Neuhauser Straße. Die einschiffige Kirche beeindruckt durch ihr großes Tonnengewölbe, das – nach der Peterskirche in Rom – als zweitgrößtes der Welt gilt. Überhaupt die Kirchen: Es sind nicht nur die besonders attraktiven Gotteshäuser der Innenstadt, die einen Besuch lohnen. Die vielen Kirchen am Stadtrand sind ebenfalls interessante Relikte religiöser Vergangenheit und heutiger Andacht. Die **Schloßkapelle Blutenburg,** neben dem 1435 erbauten Wasserschloß Blutenburg, ist leicht mit dem Bus oder der S-Bahn (Obermenzing) zu erreichen. Sie soll als Anregung dienen und stellvertretend für alle mit Straßenbahn, Bus oder S-Bahn erreichbaren Gotteshäuser stehen, die einen Besuch wert sind, wie zum Beispiel auch die **Klosterkirche Fürstenfeldbruck** (S-Bahn-Station) oder der **Dom zu Freising,** von dem die Christianisierung Bayerns ihren Ausgang nahm (S-Bahnstation Freising).

Das größte Barockschloß Deutschlands ist **Schloß Nymphenburg,** das zu einer des meistbesuchten Sehenswürdigkeiten der Stadt zählt. Die künstlerisch gestalteten Räume, die prunkvollen Staatskarossen und die berühmte Schönheiten-Galerie König Ludwigs I. sind besonders attraktive Anziehungspunkte. Musikliebhaber können hier den erlesenen Konzerten der „Nymphenburger Sommerspiele" lauschen. Der symmetrisch angelegte 200 Hektar große Schloßpark mit den kleinen, wohlproportionierten Schlößchen Amalienburg, Badenburg und Pagodenburg gilt als einer der schönsten Parkanlagen Deutschlands.
In Schleißheim, 13 km nördlich von München gelegen (S-Bahn-Station Oberschleißheim), liegen gleich drei bekannte Schösser: Das **Alte Schloß,** ein einfaches Herrenhaus, das Gartenschloß **Lustheim,** in dem die berühmte Meißner Porzellansammlung untergebracht ist, und das **Neue Schloß** Schleißheim, das Max Emanuel nach seinem Sieg über die Türken in Auftrag gegeben hatte. Im Prunksaal dieser barocken Schloßanlage finden ebenfalls – ähnlich wie in Nymphenburg – die festlichen Schleißheimer Schloßkonzerte statt und locken Musikfreunde aus ganz Europa in die weiß-blaue Metropole.

Rechts: Prächtige Hausfassaden, wie hier in Schwabing (oberes Bild), verträumte Hinterhöfe, selbst die Viertel der weniger Privilegierten (untere Bilder) strahlen Atmosphäre aus.
Umseitig (S. 54, 55): Straßenmusikanten in der Fußgängerzone der Kaufinger Straße verdienen sich beim „Platz-Konzert" ihre Wandergroschen, Musikstudenten geben erste Proben ihres Könnens.
Umseitig (S. 50, 51): Freizeit, Hobby und Vergnügen werden in München groß geschrieben. – Ob Brotzeit am kleinen Hesseloher See am Isar-Ring (oberes Bild) oder fröhliche Floßfahrt (unteres Bild) auf der Isar von Wolfratshausen (Abfahrt) in fünf Stunden nach Thalkirchen. Romantiker ziehen vielleicht eine Kutschfahrt im Englischen Garten vor (S. 51).

HANS RIESS
AUGENOPTIK

EINGANG

MANFRED

THOMA
Holland

J. RIEDEL

Oben: Die Blumenfrauen und Kräuterweiberl haben ihren festen Standplatz auf dem Viktualienmarkt.
Links: Der Karl-Valentin-Brunnen von Andreas Rauch.
Unten: Auch Ida Schuhmacher erhielt einen Ehrenplatz auf dem Viktualienmarkt.
Rechts: Dreimal im Jahr heißt es: „Duit is" – Die Auer Dult auf dem Mariahilfplatz.

Schwabing

Die Münchner Freiheit ist nicht nur das Herz von **Schwabing,** das die Husumer Gräfin Reventlow einmal als „Wahnmoching“ bezeichnet hatte. Der Name symbolisiert den Lebensstil der Schwabinger Boheme von der Jahrhundertwende bis zu den Künstlertreffs und Studenten-Pinten unserer emanzipierten Zeit. „Schwabing ist ein Zustand“, der berühmte Künstler – von Ringelnatz bis Thomas Mann – anzog und dessen Bohemiens von den konservativen Urmünchnern in neidvoller Entrüstung als „Schlawiner“ bezeichnet wurden. Gottfried Keller, der 1840 an die Isar kam und sich über die „Kälbertreiber und Radi-Weiber“ ausließ, sagte über seine Gaststadt München vor mehr als 140 Jahren Worte, die heute noch sinngemäß auf Schwabing passen mögen: „Es herrschte ein aufgeregtes Leben auf den Straßen und Plätzen. Aus Kirchen und mächtigen Schenkhäusern erscholl Musik, Geläute, Orgel- und Harfenspiel; aus mit allerlei mythischen Symbolen überladenen Kapelltüren drangen Weihrauchwolken auf die Gasse; schöne und fratzenhafte Künstlergestalten gingen scharenweis vorüber, Studenten in Schnürröcken und silbergestickten Mützen kamen daher, gepanzerte Reiter mit glänzenden Stahlhelmen ritten gemächlich und stolz über einen Platz; üppige Kurtisanen mit blanken Schultern zogen nach hellen Tanzsälen, von denen Pauken und Trompeten hernieder tönten. Alte, dicke Weiber verbeugten sich vor dünnen, schwarzen Mönchen, welche zahlreich umhergingen; unter offenen Hausfluren saßen wohlgenährte Spießbürger hinter gebratenen Gänsen und mächtigen Krügen und genossen den lauen Frühlingsabend. Glänzende Wagen mit Mohren und Jägern fuhren vorbei und wurden aufgehalten durch ein ungeheures Knäuel von Soldaten und Handwerksburschen, welche sich die Köpfe zerbläuten. Es war ein unendliches Gesummel überall.“

Schwabing, rund 400 Jahre älter als München und schon 782 als „Swapinga“ urkundlich erwähnt, wurde erst 1891 eingemeindet. „Dem Sieg geweiht – vom Krieg zerstört – zum Frieden mahnend“ lautet seit 1958 die Inschrift auf dem Siegestor mit seiner Bavaria und der Löwenquadriga. Das dem Konstantins-Bogen in Rom nachempfundene Tor, 1874 zu Ehren des bayerischen Heeres erbaut, ist die nördliche Grenze der Ludwigsstraße, die in ihrer strengen, von Leo von Klenze und Friedrich Gärtner gerpägten Geschlossenheit die Fortsetzung der ehemaligen Weinstraße – von Italien kommend – Richtung Norden bedeutet. Sie geht hier über in die Leopoldstraße, dem Schwabinger Renommier-Boulevard, der zum Sehen und zum Gesehenwerden animiert. Gerammelt volle Stehbierkneipen, kommunikationsfreudige Diskutierschuppen oder nostalgiebehaftete Studententreffs wie das legendäre „Mutti-Bräu“, um das es nach „Muttis“ Tod einmal sehr still geworden war, wechseln ab mit neu hinzugekommenen kommerziellen Amüsier-Etablissements und gut bürgerlichen Restaurants, viele mit italienischem oder südländischem Einschlag. Von der Pizza bis zur Peking-Ente, vom Churrasco-Steak bis zur rustikalen bayerischen „Gemütlichkeit“ ist alles vertreten, was der Besucher erwartet – und auch findet.

Die Sünde ließ in München etwas länger auf sich warten, denn München war (und ist auch heute noch) Sitz des Erzbischofs und damit Bollwerk wider die Verruchtheit. Eine Hamburger Reeperbahn gibt es auch heute noch nicht; sicher kein Nachteil, der München zur Schande gereichen würde. Aber: *temporae mutantur* – die Zeiten ändern sich – und davon blieben auch die Nachfahren Heinrichs des Löwen nicht unberührt. Was immer der Individualist unter „Vergnügen“ verstehen mag, er findet rund um die Goethestraße am Hauptbahnhof das, was auch die Große Freiheit in Hamburg nicht für jeden Geschmack attraktiv macht. Gleich und Gleich gesellt sich gern bei den Antipoden um den Gärtnerplatz herum, und seriöse Nachtlokale – mit und ohne Striptease – verteilen sich über den ganzen Stadtbereich. Für die anderen Etablissements gelten in München für den unbedarften Besucher die gleichen Spielregeln wie sie der Tourist oder auf schnelle Abenteuer bedachte Nachtschwärmer auch in anderen Städten beachten sollte, denn das Wort „Nepp“ ist keine Erfindung verruchter Hafenkneipen.

Rechts oben: Die Auer Dult auf dem Mariahilfplatz ist Trödlermarkt, Antiquitäten-Messe und Volksvergnügen mit Karussels, Schießbuden und Riesenrad in einem.
Rechts unten: Ramsch, Kitsch, Brauchbares und Unbrauchbares, gelegentlich aber auch einmal eine echte Rarität wechseln den Besitzer auf dem Trödlermarkt in Haidhausen.
Umseitig (S. 58, 59): Der Viktualienmarkt zu Füßen des „Alten Peter“ ist der tägliche Lebensmittelmarkt der Münchner. Die Standplätze werden von Generation zu Generation weiter vererbt. Spezialitäten aus aller Welt werden täglich frisch eingeflogen; Fleisch und Geflügel, knackfrischer Radi, junges Gemüse und Gewürze aus aller Herren Länder erhält man rund ums Jahr.

Gebrauchtmöbel, Antiquitäten
Bücher, Bilder
Transporte
NEUERÖFFNUNG
Trödlerkantine
Coca-Cola

hacker Bier

el der Bayern

Seiten 64/65 und 66, 67: „O'zapft is" heißt es jedes Jahr wieder – von der letzten Septemberwoche bis zum Ende der ersten Oktoberwoche, wenn das Oktoberfest, die „größte Schau der Welt" hunderttausende von Besuchern anlockt.
Das Bierfestival beginnt jeweils samstags mit dem Einzug der Schausteller, Festwirte und Brauereien mit ihren prachtvollen Pferdegespannen. Am Sonntag folgt der traditionelle Trachtenumzug.

LÖWENBRÄU
LUDWIG HAGN

PSCHORR
BRÄUROSL

Zu Füßen der mächtigen Bavaria (Bild oben) liegt die riesige Theresienwiese, der Schauplatz der „Wies'n", wie die Münchner ihr Oktoberfest nennen. Mehr als vierhunderttausend Liter Festbier (Bild links) rinnen während der 16 Tage die durstigen Kehlen hinab. Die „Wies'n" unterhalb des Münchner Messegeländes erreicht man bequem zufuß oder mit Straßenbahn, dem Bus und der U-Bahn-Linie U5 ab Stachus – Hauptbahnhof.

Alt-Münchner
Vilshofener
Tölz-Königsdorfer
Zillertalerin

14

Oben: Das „Platzl" am Platzl (U-Bahnstation Marienplatz).
Links: Das weltberühmte Hofbräuhaus ebenfalls am Platzl.
Unten: Weiß Ferdl, der unvergessene Volksschauspieler vom „Platzl".
Rechts: Scheffler-Tanz in der Innenstadt
Umseitig (S. 70/71): Viele bekannte bayerische Volksschauspieler wirkten an der Volksbühne am „Platzl".

FILMTHEAT
SCHE BANK
SCHE BANK

Essen und Trinken

Was wäre die Weltstadt mit Herz ohne ihre Palette an kulinarischen Kostbarkeiten für jeden Gusto, von derb bäuerlich bis hin zu den drei Sternen des Aubergine. Münchner Lebensfreude drückt sich aus in den Schmankerln und Spezialitäten bayerischer Kochkunst. A Maß, a Brez'n und an Radi muß man erst einmal probiert haben, um zu erfassen, daß diese Viktualien nicht nur Speis' und Trank bedeuten, sondern eine ganze Philosophie widerspiegeln.
Was dem Italiener seine Spaghetti, dem Schwaben seine Spätzle und dem Preußen seine Kartoffeln, sind dem Münchner seine Knödeln. Aber die bayerische Küche beschränkt sich trotz mancher vorgefaßten Meinung nicht auf Knödel, Knöcherlsulz, Weißwurst und Leberkäs. Immerhin kamen Römer, Österreicher, Schweden und Franzosen wie auch Künstler aus aller Welt in das Land, wo zwar nie Milch und Honig flossen, wo aber die Fürsten, Herzöge und Könige durchaus edle Tafelfreuden zu schätzen wußten. Kreuzritter und Heerscharen brachten kulinarische Neuigkeiten und exotische Genüsse mit nach Bayern, das ja Schnittpunkt der großen Ost-West- und Süd-Nord-Handelsstraßen wurde. Außer den Brotzeit-Spezialitäten wie Tellerfleisch mit Kren, Knöcherlsulz, Topfenratzl und Leberkäs, in dem weder Leber noch Käse enthalten ist, bietet die Münchner Küche Spezialitäten, die eine Gourmandise durchaus lohnen. Da gibt es zum Beispiel die Schwammerln, für die die Bayern eine besondere Vorliebe haben und die anderswo prosaisch „Pilze" heißen. Bärentatzen, Rotkappen, Täublinge sind – hochdeutsch – sicherlich Pilze, aber die Münchner machen halt Schwammerln daraus, und was für welche! Das bajuwarisierte Boeuf à la Mode konvertierte zum Bifflamott, das – nun als Sauerbraten – zu den beliebten Sonntagsgerichten zählt. Und was dem Amerikaner seine „Hamburger", dem Preußen seine Frikadelle, ist dem Münchner sein Fleischpfanzerl, irrtümlich meistens als „Pflanzerl" bezeichnet; aber das Pfanzerl hat seinen Ursprung halt von der Pfanne. Zwetschgen-Bavesen, Dukaten-Nudeln oder Hollerküchel, die man bei Hofe vornehm auch „Beignet de Fleur" nannte und ihnen dadurch einen aufwertenden französischen Touch gab, munden nicht nur einheimischen Süßmäulern.

Umseitig (S. 74/75): Das Olympische Dorf, 1972 für die XX. Olympischen Spiele in München angelegt. Südlich der Wohnstadt liegt Europas größter Freizeit- und Erholungspark auf dem Olympia-Gelände des Oberwiesenfeldes. Der Fernsehturm im Park beherrscht – 290 m hoch – Stadt und Park. Der Aussichtsberg im südlichen Gelände wurde aus dem Bombenschutt des II. Weltkrieges aufgefahren.

O'zapft is

Feiern konnten die Münchner – insbesondere die Fürsten und Könige – schon immer. Als der ungestüme und schwärmerische bayerische Kronprinz Ludwig mit der Prinzessin Therese von Sachsen-Hildburghausen den Bund der Ehe schloß, sollte am 17. Oktober 1810 ein Pferderennen stattfinden. Der Kommandant der Nationalgarde, Major Andreas Dall 'Armi, bat den König um die Genehmigung, bei der Dorfschaft Sendling eine Rennbahn errichten zu dürfen. Dieses Rennen und die Gaudi müssen den Münchnern so gut gefallen haben, daß sie beschlossen, das Fest alljährlich zu wiederholen. Zu Ehren der Königin erhielt der Rennplatz den Namen **„Theresienwiese"**. Schon im nächsten Jahr kombinierte der Landwirteverein und der Magistrat der Stadt das Theresienfest mit dem Landwirtschaftsfest. Geboren war „the Greatest Show on Earth". Die „größte Schau der Welt" ist das **Oktoberfest** auch heute noch, wenn 16 Tage lang – von der letzten Septemberwoche über den Monatsersten bis zum Ende der ersten Oktoberwoche – die Münchner und mit ihnen hunderttausende von Gästen aus aller Welt hinaus zur Wies'n ziehen. Mit dem Ruf „O'zapft is" des jeweils amtierenden Oberbürgermeisters beim Anstich des ersten Fasses beginnt die Bierorgie. Mehr als 4 Millionen Liter Festbier rinnen die durstigen Kehlen hinab und dazu verzehren die Gäste, um wieder zu Kräften zu kommen, eine halbe Million Brathendl und fünf Dutzend Ochsen am Spieß, von den huntерttausenden von Schweinshaxen, Schweinswürsteln, Steckerlfisch und Weißwürsten ganz zu schweigen. – Das Wies'n-Bier scheint eine eigenständige Maßeinheit zu besitzen, die nicht nach Kubikzentimetern oder Litern, sondern nach irgendwelchen exotischen Rauminhalten gemessen wird. „Schlecht gefüllte Krüge nachschenken lassen" verkünden wirklichkeitsfremde Schilder in den Biertempeln der Wies'n-Zeltstadt. Nur unbedarfte Preußen, die das erste Mal auf diesem geweihten Boden weilen, nehmen die Aufforderung ernst. Und wenn sie nicht „derschlag'n" werden, sind sie zumindest verdurstet, denn keine Maß-Halterin, die durchschnittlich ihre 8–12 Krüge mit kräftigen Armen und vorgestrecktem Bauch durch die Gaudi jongliert, wird es mit ihrer Ehre vereinbaren können, daß solche Typen sich an der Köstlichkeit frischgezapften Bieres delektieren.

Rechts: Das viel diskutierte Zeltdach des Stadions setzt sich über Olympiahalle und Schwimmhalle fort (zu erreichen mit Tram, 7 Buslinien, U-Bahnen U3, U8 und – bei Sonderveranstaltungen – S11).
Umseitig (S. 78/79 und 80, 81): Tradition und Fortschritt, barocke Baukunst der Vergangenheit und moderne Architektonik unserer heutigen Zeit stehen in München harmonisch beieinander.

Philadelphia? TWA! → Detroit? TWA! → Kansas City? TWA!
New York? TWA! → Pittsburgh? TWA! → St. Louis? TWA!

Oben: Neben Berlin und Hamburg hat auch München ein modernes U-Bahn-Netz.
Links: Moderne Wohnsiedlung und Kirche, Lerchenauer See.
Unten: Beton, Glas und Stahl beherrschen die Fassade der Hypo-Bank.
Rechts: Der „Vierzylinder“, das fast 100 m hohe Verwaltungsgebäude von BMW, am Rande des Olympia-Dorfes, mit dem Auto- und Motorenmuseum (U-Bahn Petuelring, Olympiazentrum).

BMW
BMW

Bierstadt München

Das Bier ist sicher keine bayerische Erfindung. Das älteste beschriftete Kulturdokument der Menschheit aus dem 7. Jahrtausend v. Chr., das im Pariser Louvre befindliche „Monument Bleu", zeigt, wie einer altbabylonischen Göttin Bieropfer dargebracht wurden. Die Bierherstellung in Babylon erfolgte mit Hilfe von „Bierbroten". Wahrscheinlich hat man beim Verspeisen nassen – vielleicht verregneten – und bereits in Gärung übergegangenen Brotes festgestellt, daß man sich danach in einem rauschhaften Zustand versetzen kann. Die Fertigkeit des Bierbrauens gehört also zu den ältesten Errungenschaften menschlicher Kultur.

Die Tatsache, daß in München schon seit dem frühen Mittelalter Bier in guter Qualität gebraut wurde, führte dazu, daß das Bier schon früh beliebtes Volksgetränk und bald hoffähig wurde. Bier und Brauchtum gingen in München schon immer zusammen. So kommt es, das München zu einer Stadt des Bieres wurde und als solche einen internationalen Ruf erlangte.

Richtungsweisend für die Entwicklung der Braukunst in München war das Reinheitsgebot, das Herzog Albrecht IV. im Jahre 1487 erließ, wonach jeder Münchner Brauer eidlich versichern mußte, zur Bierbereitung nur Gerste, Hopfen, Hefe und Wasser zu verwenden. Dieses absolute Reinheitsgebot wird heute als das älteste immer noch bestehende Lebensmittelgesetz der Welt angesehen. 1516 wurde es für ganz Altbayern verbindlich. Heute gilt das Reinheitsgebot in der Bundesrepublik für untergäriges Bier, in Bayern auch für obergäriges. Durch das Gesetz wurde somit ein Qualitätswettbewerb erzwungen, der München zur führenden Bierstadt der Welt machte.

Da das Bier bei niedriger Temperatur vergoren werden mußte, war es anfangs nur im Winter möglich zu brauen. Um den Sommerdurst zu decken, wurde im Märzen ein stärkeres, daher besser lagerfähiges Bier gebraut, das in riesigen Bierkellern gehortet wurde. Die Brauer, die im Sommer arbeitslos waren, wurden von den Brauereien als Maurer mit dem Bau dieser Keller beschäftigt. Vielleicht rührt daher die Meinung, daß Maurer stets den größten Durst haben. Um die Bierkeller möglichst kühl zu halten, wurden auf ihnen Kastanienhaine gepflanzt. Die durstigen Münchner machten sich dies zu Nutze, setzten sich unter die schattenspendenden Bäume und verlangten nach kühlem Bier aus den Kellern. Die Brauereien gingen dann dazu über, zum Bier auch Essen zu reichen, was zu Streitigkeiten mit den Gastwirt-Innungen führte. Diesen Streit legte Ludwig I. durch ein salomonisches Urteil bei: Er verfügte, daß die Brauereien kein Essen mehr ausgeben dürfen, dafür erlaubte er aber den durstigen Bierkellergästen, ihre Brotzeit mitzubringen und zum Bier unter den Kastanien zu verzehren. Diese Sitte ist in den Biergärten Münchens bis auf den heutigen Tag beibehalten worden.

1627 – mitten im 30-jährigen Krieg – rief Kurfürst Maximilian I. die Burgunder Paulanermönche in sein Kloster, und damit begann ein neues Zeitalter in der Geschichte des Bieres. Dank sei diesen Mönchen, daß sie ein Fastenbier erfanden, das ohne Verstoß gegen die Fastenregeln verzehrt werden konnte, denn nur feste Nahrungsmittel waren ja verboten. Alljährlich wurde zum Fest des Ordensstifters, des Heiligen Franz von Paula, den die Paulaner-Mönche ihren „Heiligen Vater" nannten, mit dem Ausschank begonnen. Der Starkbieranstich wurde stets nach alter Tradition und getreu dem alten Brauch durchgeführt. Aus dem „Heilig-Vater-Bier" wurde das „St. Vater-Bier" und daraus dann das „Salvator". Traditionsgemäß wurde die erste Maß dem Landesfürsten mit den Worten: „Salve Pater Patriae" überreicht, 1984 zum 350. Mal, denn so alt ist die Paulaner-Bräu, die „Erfinderin" der -ator-Biere.

„War im März gen Judica
Wiederum der Frühling nah,
Kam zu Ehren alter Sitten
Der Herr Kurfürst selbst geritten,
Auf die Neudeck ob der Au,
Zum Paulaner Klosterbrau.
Dort empfing den Landesvater
Barnabass, der Brauhausvater,
Ihm beglückt und freudeglänzend
Einen Humpen Bier kredenzend."

Rechts oben: Der Wittelsbacher-Brunnen am Lenbachplatz.
Rechts unten: Springbrunnen im Park von Schloß Nymphenburg (Bus 41, Tram 12).
Umseitig (S. 84, oben): Winterfreuden – Eisstockschießen auf dem Nymphenburger Kanal.
Umseitig (S. 84, unten): Schloß Nymphenburg vom Park her gesehen.

Umseitig (S. 80/81) und rechts: München ist die Stadt der Parks und Anlagen, der prachtvollen Bauten und schönen Brunnen. Der Fischbrunnen (S. 80, oben) steht vor der Südostecke des Rathauses. In der Mitte des Hofgartens vor dem 12-eckigen Tempel sprudelt dieser Brunnen (S. 80, unten). Der Brunnen vor der Universität an der Ludwigstraße (S. 81) besticht durch seine klaren Formen.

Stadt der Lebensfreude

Außer feste arbeiten können die Münchner auch Feste feiern. Mehr als 2000 **Faschingsveranstaltungen** sorgen in der närrischen Zeit von Anfang Januar bis Mitte/Ende Februar für Jubel, Trubel und wirbelnde Feste. Die Hochburgen in dieser „heißesten Zeit des Jahres" sind die Olympia-Halle im Olympia-Park, das Hotel Bayerischer Hof und das Deutsche Theater in der Schwanthalerstraße, das früher eines der bekanntesten deutschen Varietés beheimatete. Der Fasching endet jeweils am Aschermittwoch mit dem traditionellen Fischessen in allen Gaststätten.
Die **Starkbiersaison,** die im März jeden Jahres zwei Wochen lang die „Fastenzeit" einleitet, ist eine fröhliche Zeit für Münchner und die Besucher, bei der nicht nur Bier getrunken, sondern auch ein Schmankerl serviert und bei uriger Blasmusik lautstark in den weiß-blauen (Bier-) Himmel gesungen wird. Höhepunkt der „-ator-Saison" ist die jährliche Salvatorprobe der Paulaner-Brauerei auf dem Nockherberg.
Ein Volksfest besonderer Art ist die **Auer Dult,** ein traditionsreicher Trödelmarkt auf dem Mariahilfplatz zu Füßen der Mariahilf-Kirche. Karussels, Schaubuden, Kaspertheater und Trödelhändler produzieren ein buntes Gewirr fröhlichen Durcheinanders. Dreimal im Jahr heißt es „Duit is" – im April/Mai zur Mai-Dult, im Juli/August zur Jakobi-Dult und Ende Oktober zur Kirchweih-Dult.
Im Herzen der Stadt erstrahlt vor Weihnachten 4 Wochen lang das Lichtermeer des **Christkindlmarktes** auf dem Marienplatz. Alpenländische Musikgruppen stimmen mit weihnachtlicher Musik allabendlich auf das bevorstehende Fest ein.
Eine besondere Gaudi für Jung und Alt sind die **Floßfahrten** auf der Isar, die vom Mai bis in den September hinein fünf Stunden lang bei Bier, Brotzeit und Blasmusik einen Mordsspaß garantieren. Von Wolfratshausen aus geht es die Isar abwärts bis nach Thalkirchen im Süden der Stadt.
Originell sind Münchner **Straßenbahn-Parties,** die Möglichkeit, in einer geschlossenen Gruppe München per Tram zu entdecken. Feucht-fröhlich darf es ausnahmsweise diesmal im Straßenverkehr zugehen, denn Schnaps, Brotzeit, Musik und Münchner Bier fehlen auch hier selbstverständlich nicht.
Das Isar-Hollywood – die **Bavaria-Filmstadt** in Geiselgasteig-ist nicht nur die führende Film- und Fernsehstadt Deutschlands, hier können Besucher auch einmal hinter die Kulissen der Filmemacher und Fernsehbosse schauen. Von April bis Oktober ist die Film-Metropole Besuchern (auf Anmeldung) geöffnet.
Für Schlankheitsfanatiker, die den leiblichen Genüßen der Stadt abhold sind, eignen sich die zahlreichen Biergärten, Gourmet-Tempel und Schmankerl-Häuser nicht. Den Feinschmeckern leuchtet in München der Stern-Himmel der Reiseführer, die mit dem **Aubergine*** ** und dem **Tantris*** ** würdige Vertreter der Eßkultur gefunden haben. In **Harry's New York Bar** erhält man laut Playboy Deutschlands beste Cocktails und den Platz Nr. 1, um zu sehen und gesehen zu werden.
Rustikaler geht es schon in der **Mathäser-Bierstadt** am „Stachus" zu, wo bis zu 5000 Durstige bei Blasmusik und Wies'n-Stimmung den täglichen Bierausschank einer mittelgroßen Stadt verkonsumieren. Aber auch der Löwenbräu-Keller am Stiglmairplatz ist ein Tempel der Freude, nicht nur, wenn die „Damischen Ritter" in der Faschingszeit ihr närrisches Turnier veranstalten oder Muskelprotze das berühmte Steinheben eines 500-Pfund-Brockens proben.
Wer seine Maß lieber außerhalb genießen möchte: bitte schön! Man braucht nicht einmal ein Auto um zum Beispiel zum Starnberger-See, der nicht nur durch den unglücklichen Märchenkönig Ludwig II. berühmt wurde, zu gelangen. Mit der S-Bahn fährt man von der City ohne Umwege bis zum Badesee der Münchner. Die S-Bahn und die U-Bahn erschließen als Schnellverbindung zwischen Messegelände/Theresienwiese und Hauptbahnhof/Stachus auch in weitem Bogen die Randgebiete und Naherholungszonen von Freising und Ismaning im Norden bis Herrsching, Tutzing und Holzkirchen im Süden. Für den Flugtouristen wichtig zu wissen: Auch der Flughafen Riem (S-Bahn Erding) ist an das Schnellbahnnetz des Münchner Verkehrsverbundes angeschlossen.

Umseitig (S. 85): Apollo-Tempel am Großen See im Schloßpark von Nymphenburg.
Umseitig (S. 86): Beeindruckend ist das Innere des Neuen Schlosses von Schleißheim. Meisterhaft der große Barocksaal oder die Eingangshalle mit Säulen aus rotem Marmor (S-Bahnstation Oberschleißheim).
Umseitig (S. 87): Fast 700 m breit ist Schloß Nymphenburg, das größte Barockschloß Deutschlands.

Rechts oben: Das Gartenschloß Lustheim in Schleißheim (Hochmuttinger Straße) enthält die berühmte Meißner Porzellansammlung von Ernst Schneider mit über 1800 Exponaten.
Rechts unten: Schloß Blutenburg (S-Bahnstation Obermenzing), ein ehemaliges Jagdschloß enthält eine Bibliothek internationaler Jugendliteratur mit über 400 000 Titeln.

LÖWENBRÄU

München ist nicht nur die Stadt der Musen, der schönen Künste, der geistigen Auseinandersetzung. Von besonders hohem Stellenwert ist das Freizeitangebot in und um München: Kanu- und Floßfahrten auf der Isar (oben), Surfen auf dem Pilsensee (unten), Drachenfliegen in den nahen Bergen (rechts oben) oder Segeln auf dem Starnberger See (rechts unten).

Attraktive Ausflugsziele in der näheren Umgebung von München, bequem mit dem Schnellbahn-System zu erreichen, sind z. B. der Starnberger See oder der Ammersee mit dem Kloster Andechs, aber auch Garmisch-Partenkirchen mit der Zugspitze ist nur eine Autostunde entfernt.

Umseitig (S. 90/91): Burg Schwaneck in Pullach, in der sich eine Jugendherberge befindet (S. 90). Ländliche Idylle, mitten in der Stadt: Ramersdorf am Innsbrucker Ring (S. 91).